Catalogage avant publication de Bibliothèque et Archives nationales
du Québec et Bibliothèque et Archives Canada

Morin, Marie-Christine

    Un voleur au poil

    (Téo et Pépito ; 1)
    Pour les jeunes de 8 ans et plus.

    ISBN 978-2-89591-118-0

    I. Morin, José, 1973- . II. Titre.

PS8626.O748V64 2011   jC843'.6   C2010-942708-4
PS9626.O748V64 2011

Correction et révision : Annie Pronovost

Tous droits réservés
Dépôts légaux : 1ᵉʳ trimestre 2011
Bibliothèque et Archives nationales du Québec
Bibliothèque et Archives Canada
ISBN 978-2-89591-095-4

© 2011 Les éditions FouLire inc.
4339, rue des Bécassines
Québec (Québec) G1G 1V5
CANADA
Téléphone : 418 628-4029
Sans frais depuis l'Amérique du Nord : 1 877 628-4029
Télécopie : 418 628-4801
info@foulire.com

Les éditions FouLire reconnaissent l'aide financière du gouvernement
du Canada par l'entremise du Programme d'aide au développement de
l'industrie de l'édition (PADIÉ) pour leurs activités d'édition. Elles remercient
la Société de développement des entreprises culturelles du Québec (SODEC)
pour son aide à l'édition et à la promotion.

Gouvernement du Québec – Programme de crédit d'impôt pour l'édition
de livres – gestion SODEC.

Les éditions FouLire remercient également le Conseil des Arts du Canada
de l'aide accordée à leur programme de publication.

IMPRIMÉ AU CANADA/PRINTED IN CANADA

TÉO ET PÉPITO

Un voleur au poil

Marie-Christine Morin

Illustrations : José Morin

ÉDITIONS
FouLire

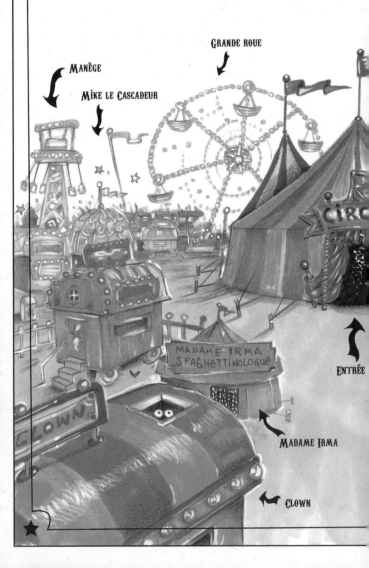

LE GRAND CIRQUE RIGOLETTO

GRANDE ROUE

MANÈGE

MIKE LE CASCADEUR

CIRC

ENTRÉE

MADAME IRMA
SPAGHETTINOLOGUE

MADAME IRMA

CLOWN

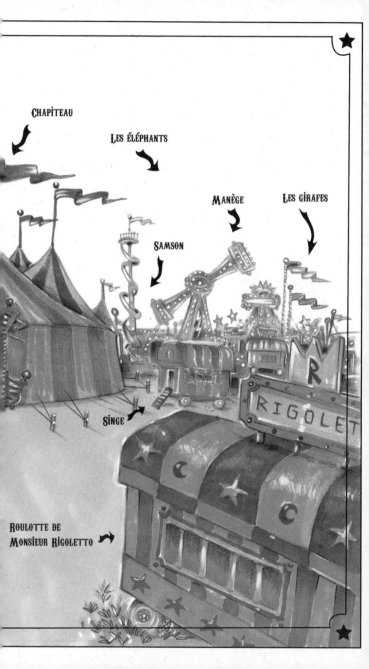

CHAPITEAU

LES ÉLÉPHANTS

MANÈGE

LES GIRAFES

SAMSON

SINGE

RIGOLET

ROULOTTE DE
MONSIEUR RIGOLETTO

Les personnages du Grand Cirque Rigoletto

Le jeune héros rigolo

Le plus rusé des singes

Le super-papa-qui-répare-tout

Le directeur au cœur tendre

Boris et Bruno :
les jumeaux à tout faire

L'homme à la force
surnaturelle

Le cascadeur-
vedette

La belle échassière

La mystérieuse
spaghettinologue

Une annonce intrigante

C'est samedi. Bien enfoncé dans mon oreiller, je rêve que c'est congé. Après tout, l'été, c'est fait pour se reposer ! Malheureusement, mon réveil, cet éternel rabat-joie, n'est pas du même avis que moi. Il sonne à tue-tête pour me réveiller lorsque l'heure fatidique est arrivée.

– Bon matiiiiin ! rugit-il au bout du lit. Il est 6 heueueueueures !

L'esprit tout embrouillé, j'hésite entre l'envie de garder les yeux fermés et celle de faire cesser l'affreux tapage.

– Pour commencer la journée en beauté, voici un souvenir des années 1990! continue l'animateur survolté.

Aussitôt dit, aussitôt fait. Une horrible musique pop, accompagnée d'une voix suraiguë, envahit sauvagement mes tympans.

– Je suis une Barbie, je suis une Barbiiiiieeee!!! hurle la chanteuse.

À l'aveuglette, j'étends le bras et tâtonne vers le bouton. Oups! Le réveil vient de tomber par terre! Ce qui n'arrête cependant pas la chanteuse de crier...

– Être en plaaastique, c'est fantaaaaastique!!!

C'en est trop pour moi. Franchement exaspéré, je m'étire et débranche le fil.

Ouf! Enfin un peu de calme. Je retombe sur l'oreiller.

9

Soudain, j'entends mon nom.

– Téo !

Saperlipopette ! Je me suis ren-dormi...

– Réveille-toi ! me lance mon père de l'autre côté du mur.

Cette fois-ci, je n'ai plus le choix. Je dois me lever. Les yeux bouffis, je m'assois sur le bord du lit et enfile mon coton ouaté préféré.

Comme un zombie, je me dirige vers la cuisine. Là, je me sers un verre de jus d'orange et pousse un long bâillement. Tu parles d'une heure pour travailler !

Prenant mon courage à deux mains, je vide d'un trait mon verre de jus et sors par la porte de côté. Dehors, ma monture m'attend, prête à commencer la journée. J'aperçois du coin de l'œil la montagne de journaux qui trône sur la galerie. D'un geste aguerri, je plonge les exemplaires dans mon gros sac à bandoulière et hop, tel un cow-boy des temps modernes, je saute en selle sur mon vélo !

Vous avez deviné ? Eh oui ! Je suis camelot dans mon quartier !

6 h 30.

Je commence ma tournée. Mlle Lafleur, M. Lajoie, Mme Gagnon... Je me réveille tranquillement en pédalant.

6 h 40.

M. Noël, Mlle Latendresse, Mme Lacasse… Tout va bien. Plus le soleil monte et plus mon sac est léger.

6 h 50.

M. Larue, Mme Lachance, M. Cloutier… Tiens! Me voilà déjà rendu en face de chez Bastien. C'est mon meilleur copain. Mais à une heure pareille, c'est sûr qu'il dort encore, le chanceux!

Au bout d'une demi-heure, j'ai presque terminé. Je m'approche avec satisfaction de la maison de mon dernier client. Un beau gros rottweiler noir et jaune dort sur le palier. Tiens, c'est nouveau? M. Pépin a un chien?

Je dépose mon vélo et m'avance vers la bête. J'ai toujours voulu avoir un chien. Mon père dit que ça coûte trop cher, mais pour moi, un ami, ça n'a pas de prix!

– Gentil toutou, dis-je en tendant prudemment la main.

L'animal, sentant ma présence, se lève brusquement et se met à japper en tirant furieusement sur sa chaîne. Figé, je réfléchis à la question suivante : est-ce que le karaté est efficace contre les animaux ?

Tout à coup, un homme ouvre la fenêtre.

– Qu'est-ce que c'est ? aboie-t-il sur le même ton que son chien.

– C'est le journal ! que je lui réponds. Pour M. Pépin !

– Mon frère est en vacances ! grogne-t-il d'un air mauvais. Allez, petit ! Du vent !

Je n'attends pas qu'il me le dise deux fois ! Sans regarder en arrière, je saute sur mon vélo et file comme un boulet de canon vers la maison.

*

Dix minutes plus tard, j'arrive chez moi, tout essoufflé.

– Ouf ! Pas facile, le frérot ! que je me dis, le cœur battant la chamade. M. Pépin aurait pu m'avertir qu'il partait en vacances et que son frère est aussi bougon que son chien !

Je saute par terre et dépose mon cheval de fer contre la clôture. Perdu dans mes pensées, je me traîne les pieds vers la maison et entre sans remarquer la drôle d'odeur qui règne à l'intérieur. Tout à coup…

Bip ! Bip ! Bip !

Catastrophe ! L'alarme d'incendie ! Je me précipite dans la cuisine, prêt à secourir mon père. Mais je m'arrête sec en apercevant mon paternel, debout sur une chaise, en train d'agiter frénétiquement sa pantoufle devant le détecteur de fumée.

– Ah! Téo! s'exclame-t-il, pris en fla-grant délit. Déjà de retour? Désolé: j'ai essayé une nouvelle recette de pain doré...

Ça, c'est bien mon père! Il faut dire que Robert est un mécanicien extraordinaire. Il peut tout réparer: la télé, le grille-pain, la tondeuse du voisin, une vieille montre cassée et même une moto modifiée. Il a tous les outils et traîne en permanence son gros coffre avec lui. Mais pour cuisiner, c'est une autre histoire. Aucun talent! Il a les deux mains pleines de pouces! Et depuis que maman est décédée, c'est lui qui doit tout faire. Une chance qu'il y a les repas congelés! D'ailleurs, il faudrait en inventer pour le déjeuner...

Au bout d'un moment, l'horrible sirène s'arrête enfin.

– Je pense que pour ce matin, ce sera des tartines au beurre d'arachide ! dit mon père en jetant le pain brûlé à la poubelle.

– Encore ? Tu veux me transformer en écureuil ou quoi ? que je lance à la blague.

J'enlève mon sac à bandoulière et donne le journal de M. Pépin à mon père.

– Tiens. J'en avais un de trop...

Je m'assois à la table et me prends une banane. Robert se glisse à côté de moi et commence à le lire par la fin.

– Alors ? demande-t-il distraitement. Pas trop de pépins, ce matin ?

Je mens pour ne pas l'inquiéter.

– Cha été chuper, que je réponds, la bouche pleine.

Il y a deux semaines, mon père a perdu son emploi. Il n'en parle pas, mais je sens bien que ça l'énerve. Faut dire que depuis la terrible maladie de maman, Robert a triste mine. Pourtant, avant, c'était un vrai bouffon ! Maintenant, il est toujours dans la lune.

D'ailleurs, c'est un peu pareil pour moi. Nous formons un beau duo... Il faudrait peut-être penser à ouvrir un garage sur la lune!

Après avoir feuilleté la section des sports, mon père se met à lire les offres d'emplois à haute voix.

– Médecin spécialisé... Homme-grenouille sachant souder... Coiffeuse pour personnes âgées...

Il soupire un grand coup.

– Toujours rien pour moi! conclut-il en mouillant son doigt.

Mais au moment de tourner la page, une drôle d'annonce attire soudain notre attention.

> c.v. s.v.p.
> Aucune expéri-
> ence nécessaire.
>
> Le Grand Cirque
> Rigoletto
> cherche un mécanicien
> n'ayant pas peur
> des éléphants
> ••••
>
> ouer
> Studio
> -ville.
> 2662
> ze.com

Mon père s'arrête, paralysé.

– Papa ? Tu es bien mécanicien ? que je dis pour le sortir de sa torpeur.

– Oui, acquiesce-t-il, les yeux dans le vide.

– Et tu te cherches bien un emploi ?

– Oui, répond-il encore, hypnotisé.

Subitement, il se lève et brandit son index mouillé.

– Et je n'ai pas peur des éléphants ! déclare-t-il d'une voix forte.

Pris d'un irrésistible élan, il empoigne son cellulaire et compose fébrilement le numéro indiqué dans l'annonce. Après une brève conversation, il raccroche, ravi.

– Téo, tu sais quoi ? dit-il avec une petite lueur dans les yeux. J'ai rendez-vous demain matin !

Plutôt intrigant, non ?

Un chapiteau sorti de nulle part

L e lendemain matin, j'effectue rapidement ma tournée. (En prenant toutefois bien soin d'éviter la maison de M. Pépin!) Le vent dans les cheveux, j'ai l'impression de m'envoler. J'ai le cœur aussi léger que le journal du dimanche!

Lorsque j'arrive enfin à la maison, les joues rougies par l'effort, je découvre mon père au téléphone avec mamie.

– C'est ça, maman. Le Grand Cirque Rigoletto. Oui, c'est un cirque. Non, ce n'est pas dangereux. Ne t'inquiète pas, maman. Je te rappelle. Au revoir!

Il raccroche et esquisse un sourire.

– Ah! Ta grand-mère… Toujours à se faire du souci. Alors? demande-t-il en écartant les bras. Comment me trouves-tu?

Pour l'occasion, Robert a mis ses plus beaux habits: une chemise mauve fleurie, une cravate bleue rayée et un horrible veston trop petit pour lui. Je ne peux pas m'empêcher de rigoler:

– Voyons, papa. Ils cherchent un mécanicien. Pas un clown!

Mon père fait la grimace et court se changer de vêtements.

– Arrête de rire de moi. Je suis assez nerveux comme ça, grogne-t-il en enlevant sa cra-vate. Tu es bien sûr de vouloir m'accompagner?

– Sûr! Et puis, tu as besoin d'un copilote!

– Dans ce cas, dépêchons-nous! Il ne faut pas être en retard!

Nous montons dans la vieille Plymouth Chrysler qui nous sert d'automobile. C'est le désavantage d'avoir un père mécanicien: la vieille voiture ne se brise jamais... Au son d'une musique country, nous sortons de la ville et partons sur la voie rapide. La route est belle. Le ciel aussi. Accoudé à la fenêtre, mon père se met même à fredonner en pianotant sur le volant!

– J'ai hâte de voir le cirque! s'exclame-t-il en me lançant un regard que je n'avais pas vu depuis longtemps.

Je me cale dans mon siège, bercé par un curieux mélange d'émotions. Nous roulons pendant plusieurs minutes. Puis, juste avant la grande ville, nous empruntons une bretelle et aboutissons à une intersection.

– Où allons-nous, maintenant? s'informe mon père en baissant la musique.

Je consulte le plan.

– À droite !

Nous bifurquons vers une route de campagne et sillonnons un champ rempli de corbeaux. Soudain, l'asphalte se transforme en terre battue. Je n'ose pas le dire, mais j'ai le sentiment que nous sommes perdus...

– J'ai dû mal noter les indications, marmonne mon père.

Nous contournons lentement un petit bois, prêts à faire demi-tour. Mais à ce moment précis, une vision époustouflante surgit devant nos yeux.

MADAME IRMA
SPAGHETTINOLOGUE

CIRC

LOWN

– Wow ! Tu as vu ça, papa ?

C'est incroyable ! Un chapiteau rouge et blanc se dresse fièrement en plein milieu du champ ! Tout autour, des roulottes bariolées et des drapeaux complètent le fantastique tableau. J'aperçois même une grande roue !

– On dirait un ancien cirque ambulant, murmure mon père en coupant le moteur.

Complètement subjugués, nous sortons de la bagnole et avançons comme dans un rêve. Tout à coup, une grande femme se dirige vers nous. Mais plus elle s'approche, plus nous devons lever la tête : elle est juchée au sommet d'une vertigineuse paire d'échasses !

– Nous ne sommes pas encore ouverts, dit l'acrobate du haut des airs. Vous désirez?

Vêtue d'un costume multicolore, elle a le teint cuivré et une très longue tresse.

– Je viens pou... pour..., bégaie mon père, soudain intimidé.

– Pour la place de clown? suggère-t-elle en battant des cils.

Je pouffe de rire.

– Non. Je ne suis pas clo... clo... poursuit-il en rougissant. Je suis mé... mé...

Je vole à son secours :

– C'est le meilleur mécanicien en ville !

– Dans ce cas, suivez-moi, répond la demoiselle en souriant. C'est par ici.

L'artiste nous conduit à l'arrière du chapiteau et nous indique la roulotte située à l'écart des autres.

– Voilà, on y est, annonce-t-elle. Mais attention ! M. Rigoletto est plutôt de mauvais poil, aujourd'hui !

La demoiselle s'éloigne à pas de girafe. Mon père, incertain, s'apprête à monter le petit escalier. Mais au même moment, la porte s'ouvre brusquement et un gros monsieur se met à hurler:

– Dehorrs!

Un jeune homme en salopette dévale aussitôt les quelques marches.

– Et toi *oussi*! poursuit le directeur en projetant un deuxième homme à l'extérieur.

Pendant un bref instant, je crois voir double. Saperlipopette! Les deux hommes sont identiques? Je cligne des yeux, pensant avoir la berlue. Puis je me rends à l'évidence: ce sont des jumeaux!

– Vous connaissez la *traditionne*! vocifère le directeur avec un accent italien. Les mauvais employés devrront fairre les corrvées!

– Mais ce n'est pas ma faute! plaide l'un des deux en désignant son frère. C'est lui qui ne trouve plus la clé!

Piqué au vif, l'autre réplique aussitôt.

– Évidemment, puisque c'est toi qui l'as perdue! rétorque-t-il, offusqué.

– Cessez de vous *dispouter*! intervient M. Rigoletto. Et débrrouillez-vous pour rretrouver la clé! Et Pépito, *oussi*! Sinon…

Le directeur laisse sa phrase en suspens et lève le doigt d'un air menaçant. Les deux hommes tournent aussitôt les talons.

– C'est ça, marmonne le premier. Sinon, il va se remettre à pleurer…

– Ou encore pire, à chanter! ajoute l'autre du bout des lèvres.

Je me demande bien qui est ce mystérieux Pépito… Le directeur remarque alors notre présence.

– Et vous? demande-t-il à mon père. Qu'est-ce que vous voulez? Ma photo, peut-êtrre?

– Non, répond nerveusement papa. Je suis méca… nicien, pas photo… to…

Le directeur se radoucit.

– Ah! Trrès bien, dans ce cas, vous pouvez entrrer.

Il s'écarte de la porte pendant que mon père monte l'escalier. Je m'avance pour le suivre, mais…

– Stop! dit le monsieur en me bloquant avec sa grosse bedaine. *Tou* as rendez-vous?

– Non...

– *Tou* te cherches un emploi ?

– Non...

– Alors, *tou* attends là ! conclut-il en claquant la porte.

Pas très rigolo, M. Rigoletto !

Quelle vie de cirque!

Pendant que mon père passe l'entrevue, je décide d'inspecter les environs. Je m'éloigne de la roulotte du directeur et longe la grande toile cirée du chapiteau. À l'intérieur, j'entends les musiciens qui répètent un air endiablé. Tout en suivant le rythme, j'enjambe un à un les piquets de la tente. Soudain, un objet volant non identifié atterrit à mes pieds. Tiens? Une cacahuète! Perplexe, je regarde autour de moi. Rien. C'est bizarre... Je mets distraitement l'arachide dans ma poche et poursuis ma visite.

Au bout d'un moment, un bruit que je reconnaîtrais entre mille parvient à mes oreilles, un bruit que seuls les vrais amateurs savent apprécier : un moteur de moto ! Tout excité, je regarde à l'horizon et aperçois au fond du champ une immense rampe de lancement. Wow ! Ça, c'est du sport ! Tout en haut, un cascadeur se prépare pour le grand saut.

Je suis tellement absorbé par le spectacle que je ne remarque pas la femme sur les échasses qui s'arrête à côté de moi.

– Ça te plaît, les motos ?

Je sursaute en entendant sa voix.

– Mike est un cascadeur hors pair, m'apprend-elle. Et toi? Comment t'appelles-tu?

– Téophile. Mais tout le monde m'appelle Téo.

– Enchantée, Téo, dit-elle en se penchant vers moi. Je m'appelle Maya.

Je m'étire sur la pointe des pieds et lui serre la main du bout des doigts.

– Quel âge as-tu? poursuit-elle en se pliant de plus en plus dangereusement.

– J'ai dix ans. Presque onze.

Je me demande comment elle fait pour ne pas tomber.

– J'espère que ton père sera engagé, me confie-t-elle à l'oreille. On a vraiment besoin d'un bon mécanicien, ici! Et ne t'en fais pas pour M. Rigoletto! ajoute-t-elle en se redressant sur ses deux jambes de bois. Il est un peu bougon mais, au fond, c'est un cœur tendre.

La dame soulève alors la jambe et, tel un Pinocchio géant, passe carrément par-dessus moi! Sa longue tresse noire me fouette le visage au passage.

– Ah! J'oubliais! dit-elle. Tu n'aurais pas trouvé une poupée, par hasard?

Je hausse les épaules en faisant signe que non.

– Tant pis. À bientôt!

Et elle s'éloigne à grandes enjambées. Elle est plutôt gentille, celle-là! Je me retourne pour voir le cascadeur, mais... zut! J'ai manqué le saut!

*

Les deux mains dans les poches, je continue mon exploration. J'arrive bientôt devant un groupe de roulottes qui ressemblent à de petites maisons. Placées en cercle, elles semblent former un village. Entre deux fenêtres, une corde à linge est tendue et des vêtements sèchent au vent. Juste à côté, une chèvre broute tranquillement. Ça doit être chouette de vivre une vie de saltimbanques!

J'aperçois alors sur ma droite une tente bleue sur laquelle est inscrit:

L'endroit semble si mystérieux... J'hésite un peu avant de m'approcher. Fasciné, je fixe le rideau de billes de bois qui semble se mettre lentement à bouger. Au bout d'un moment, hypnotisé, j'entre dans la tente sans plus me poser de questions.

À l'intérieur, tout est noir. Je devine dans l'ombre une petite table. Tout à coup, le meuble se met à vibrer et une voix d'outre-tombe s'élève dans les ténèbres :

– Tu cherches quelque chose ?

Mon sang ne fait qu'un tour. Je cligne des yeux et aperçois, horrifié, une tête au crâne déformé surgir de sous la table! Je voudrais bien m'enfuir, mais j'ai les jambes molles comme des pâtes. Tout ce que je réussis à faire, c'est de battre des paupières comme si c'était des papillons. Évidemment, je n'arrive pas à m'envoler. Mais ce geste, en apparence anodin, me permet néanmoins de m'acclimater à la noirceur. Je constate alors que la créature extraterrestre n'est nulle autre... qu'une grand-mère en bigoudis! Ouf! Ça doit être Mme Irma. Soulagé, je réponds:

– Non, je ne cherche rien. J'attends seulement mon père.

– Alors, rends-toi utile, dit la vieille dame, à quatre pattes.

J'ai égaré mon dentier. Voudrais-tu m'aider à le retrouver?

Je pouffe de rire. J'ai toujours trouvé ça drôle que les vieilles personnes portent de fausses dents. Papi m'a révélé qu'il enlevait les siennes toutes les nuits.

– D'accord, que je réponds pour être gentil.

Satisfaite, la dame sourit en dévoilant ses vieilles gencives dénudées. Beurk! Je détourne vite les yeux à la recherche du dentier. Sur la table ronde, j'aperçois un gros chaudron entouré de tout un bric-à-brac: une boule de cristal, une vieille bande dessinée, un sou américain, mais aucune trace des dents perdues. Intrigué, je demande:

– Excusez-moi. Qu'est-ce que c'est, une spaghettinologue ?

– Je lis l'avenir dans les spaghettis, m'explique Mme Irma. Tu veux que je te montre ?

Je n'ai pas le temps de répondre que la vieille dame retrousse ses manches et, dans un grand geste théâtral, plonge les mains dans le chaudron rempli de spaghettis !

– Voyons voir ce que l'avenir te réserve, commence-t-elle en brassant les pâtes. Mmmm… Je vois…

– Oui ? dis-je pour l'encourager.

Elle plisse les yeux et fait claquer sa langue comme un crapaud.

– Quelque chose qui mord…

– Oh non! Pas le chien du frère de M. Pépin!

– Ça se précise, ajoute-t-elle. Oh! Ça y est! J'ai trouvé…

J'attends impatiemment la conclusion de Mme Irma, qui s'exclame soudain:

– Mon dentier!

Triomphante, elle sort du chaudron sa prothèse dégoulinante. Le cœur au bord des lèvres, j'observe les nouilles qui grouillent entre les dents. Beurk! C'est franchement dégoûtant! Au même instant, un homme s'engouffre sous la tente.

– Irrma? C'est toi qui as prris ma boîte à *lounch*? interroge le monsieur d'une voix tonitruante.

C'est M. Rigoletto. On dirait que l'entrevue est terminée…

– Voyons, Antonio, argumente la voyante en lui brandissant son dentier sous le nez. Ce n'est sûrement pas moi qui ai volé ton lunch : je n'avais même pas de dents pour mastiquer !

– On ne sait jamais, avec toi. *Tou* es tellement dans la *loune* ! grommelle le directeur en ressortant.

– Il va y avoir du grabuge… prédit Mme Irma.

Nous sortons à la suite du directeur.

– Samson? hurle-t-il à un colosse entouré d'haltères. C'est toi qui as prris mon *lounch* dans le frrigo?

– Quel lunch? répond l'homme fort en tenant ses boulets à bout de bras.

– Mon sandwiiich extra moutarrde! tonne M. Rigoletto. Ma *poumme* et mes cacahuètes!

Tout au fond de ma poche, je sens l'arachide au creux de ma main… Se pourrait-il qu'elle appartienne au directeur? Je ne bouge pas d'un poil pendant que le directeur continue de crier.

– Je te connais, espèce de grros glouton! *Tou* dévorrres tout ce que *tou* trrouves!

– Moi, glouton? s'étrangle Samson. Dites donc! Vous ne vous êtes pas regardé!

Insulté, l'homme fort dépose ses haltères. Le directeur retrousse ses manches. Alertés par le bruit, des employés se rassemblent autour d'eux.

– Ah! *Tou* devrrais avoirr honte! gronde le directeur. Rredonne-moi mon dîner, sinon...

Le directeur semble sur le point d'éclater. Il serre les poings en sautillant sur place.

– Sinon... répète-t-il, rouge de colère.

Je m'attends à voir de la bagarre mais, à mon grand étonnement, le directeur se met subitement à pleurer!

– Bouhouhou! sanglote-t-il comme un vrai bébé.

Tout à coup, je me rappelle les paroles de Maya. Ainsi c'est donc vrai! Ce gros grognon est un hypersensible! Autour de lui, les gens du cirque, sûrement habitués à ce genre de démonstration, tentent de le consoler. Moi, profitant de la diversion, je m'éclipse sur la pointe des pieds. Décidément, on ne s'ennuie pas, ici!

Au royaume
des animaux

Laissant le directeur gérer ses émotions, je me dirige à pas de loup vers le coin des animaux. Mon père est peut-être par là-bas? Guidé par l'odeur, j'arrive bientôt devant quelques roulottes changées en cages. La première abrite une famille de petits chiens frisés qui courent dans tous les sens. Ils sont vraiment mignons! Je tourne les yeux vers la roulotte voisine... Saperlipopette! C'est une girafe! La tête sortie par un trou pratiqué dans le toit, la bête arrache quelques feuilles à un arbre et me regarde en mâchouillant.

«C'est mon ami Bastien qui n'en reviendra pas!» que je me dis, stupéfait.

Une cage entourée d'une palissade attire alors mon attention. Je me demande quelle sorte d'animal s'y cache... D'un naturel curieux, je grimpe sur un tas de paille et me hisse pour voir par-dessus.

– Rrrrrouaw!!!

Le rugissement sonore d'un lion me jette sur le derrière. J'ai beau aimer les animaux, je suis heureux que celui-ci soit derrière les barreaux! Heureusement, il y a eu plus de peur que de mal... Je me relève et risque un second coup d'œil. La tête appuyée sur ses grosses pattes, le félin me considère d'un air las. Il n'est pas si féroce que ça, finalement!

Lorsque j'étais petit, j'ai vu un dompteur à la télé. J'ai adoré quand il a mis sa tête dans la grande gueule du lion. J'en ai encore des frissons rien que d'y penser. En fait, j'avais tellement aimé le numéro que j'avais essayé de faire pareil avec mon chat. Imaginez! Mais la seule chose que j'ai réussie, c'est de me faire griffer l'oreille...

Prudent, je m'éloigne du lion et passe à la cage suivante. Au-dessus de la porte, un nom est gravé sur une petite planche de bois :

Ah! C'est donc lui, le fameux Pépito! J'étire le cou et constate que la place est vide. Tout à coup, quelque chose rebondit sur mon crâne. Tiens? Une autre cacahuète! Cette fois, je lève immédiatement la tête et aperçois… un gros singe noir et poilu, debout sur le toit de la roulotte !

– Hé ! C'est toi, Pépito ?

En entendant son nom, l'animal retrousse ses grosses babines et montre fièrement les dents. Il a l'air plutôt sympathique ! Je m'approche un peu.

– Tu sais que tout le monde te cherche ?

Le singe se met à sauter sur ses pieds et se tape sur la poitrine. Un vrai Tarzan !

– Tu trouves ça drôle, hein ?

Comme s'il avait compris, le chimpanzé hoche la tête de haut en bas. Je décide de le mettre au défi. Sans crier gare, je touche mon nez avec ma langue et fais les yeux croches en même temps. Pépito réplique aussitôt. Il plisse la peau de son visage et se gratte les aisselles à deux mains. J'éclate d'un grand rire franc.

– Hé ! Tu es doué !

Très fier de lui, le singe s'applaudit. Je m'apprête à lui lancer la cacahuète qui traîne au fond de ma poche quand j'entends quelqu'un qui s'approche. Alerté par le bruit, le singe s'enfuit en bondissant sur le toit des cages voisines.

– Hé! Attends-moi!

Je m'élance derrière lui en zigzaguant entre les cages pour le rattraper. La tête en l'air, je ne remarque cependant pas la paire de pieds qui me bloque le chemin et, sans comprendre ce qui m'arrive, je m'étale de tout mon long.

– Salut, Téo! Ça va?

Un brin sonné, je tourne les yeux et aperçois… mon père, couché sous une énorme cage!

Je me remets sur pied, bientôt imité par Robert qui essuie ses mains pleines de graisse sur sa chemise.

– Alors ? Déjà en train de faire des bêtises ? me taquine-t-il.

– Non, non… Je fais seulement quelques singeries. Et toi ? Ton entrevue est finie ?

– Le directeur me prend à l'essai, déclare-t-il fièrement. Si je répare cette cage, je suis engagé !

Je penche la tête pour regarder sous la roulotte.

– Quel est le problème ?

– C'est l'essieu qui est cassé. Plutôt normal, avec un passager comme celui-ci…

D'un hochement de tête, mon père désigne un éléphant attaché solidement à un arbre. Je sursaute en découvrant le pachyderme. Il est tellement gros que je ne l'avais même pas remarqué!

Couché sur sa petite planche à roulettes, Robert repart sous la roulotte.

– Me passerais-tu la clé anglaise, fiston?

– Tout de suite, chef!

J'aime beaucoup aider mon père. Il me demande les outils et moi, je les lui donne. On fait ça depuis que je suis tout petit. C'est comme un jeu. Dans le coffre, chaque outil a sa place. Je pourrais les retrouver les yeux fermés.

– Alors, ça te plaît, ici? demande mon père, à nouveau couché sur le dos.

– Oh oui! Je me suis déjà fait un ami.

– Parfait. Le tournevis carré, s'il te plaît.

J'étends distraitement la main vers les outils mais, au lieu de toucher le tournevis, je rencontre une substance molle et visqueuse... Incrédule, je regarde mes doigts : ils sont dégoulinants de moutarde !

– Papa ! Ne me dis pas que c'est toi qui as volé le lunch du directeur !?!

Une course folle

Décidément, il se passe de drôles de choses, ici. On dirait que tout disparaît! Après la boîte à lunch du directeur, c'est maintenant au tour du tournevis de mon père. Sans compter que son coffre est rempli de moutarde...

– Quoi? M. Rigoletto s'est fait voler? répète mon père, surpris.

– Oui. Et on dirait que toi aussi!

Robert contemple le dégât en se grattant la tête.

– C'est embêtant, Téo. Je suis très attaché à ce tournevis: c'est ton grand-père qui me l'a donné!

Il faut absolument que je retrouve l'outil. Je fouille les tas de paille autour de moi. Le voleur a certainement laissé des traces ! Attaché à son arbre, l'éléphant me dévisage en balançant sa trompe de gauche à droite. Si au moins il pouvait parler... Les yeux cloués au sol, je dérive lentement en direction du cercle de maisonnettes. Soudain, une voix de ténor s'élève d'une douche en plein air.

– *Mimimimi... Mama miiiiiiaaaaaaa !*

C'est M. Rigoletto ! Ce grognon est amateur d'opéra ? On aura tout vu... La chèvre se met de la partie et l'accompagne avec quelques bêlements. Amusé, je passe sous la corde à linge sans me faire remarquer. C'est alors que j'aperçois un nain vêtu d'un drôle d'accoutrement. Je lui fais signe de la main.

– Monsieur? Pourriez-vous m'aider?

Le petit homme me tourne le dos. Il a des habits beaucoup trop grands pour lui et porte une serviette sur la tête. Au Grand Cirque Rigoletto, plus rien ne me surprend! Mais je sursaute en découvrant qu'un tournevis dépasse de sa poche arrière.

– Hé! C'est à vous, ce tournev…?

Je n'ai pas le temps de finir ma phrase, que le directeur s'écrie furieusement :

– Au voleurr! On a volé ma serrviette! À l'aide! Je *souis* tout *nou*!

À ces mots, le nain se tourne vers moi. Quoi? Mais je le reconnais! C'est Pépito! Le sacripant me fait un clin d'œil complice. Je n'en crois pas mes yeux. Ce serait donc lui, le voleur? Le singe retrousse ses pantalons et s'enfuit à la vitesse de l'éclair. Cette fois, je ne le laisserai pas se sauver si facilement.

Je regarde aux alentours et aperçois une bicyclette appuyée sur une roulotte. C'est ma chance! J'enfourche le vélo et pars à la poursuite du rigolo.

5

Le corps penché sur le guidon, je pédale comme un fou, à quelques mètres de Pépito qui sème ses vêtements derrière lui. Ziou! Sa veste vole dans les airs. J'accélère. Wouh! Je viens d'éviter un pantalon. Je continue ma course folle. Ping! Il me lance un nœud papillon. Je peux presque toucher son poil quand... Pouf! Je reçois des culottes en plein visage. Je freine en catastrophe. Le temps de me dépêtrer des sous-vêtements, Pépito a disparu. À bout de souffle, je scrute les environs. Je suis rendu juste à côté de la grande roue. Les jumeaux, assis sur un des sièges du manège, ont l'air de prendre leur pause. En grande conversation, ils n'ont même pas remarqué mon arrivée.

– Alors, dit le premier, toujours aucune trace de Pépito?

– Non, lui répond l'autre en sirotant une boîte de jus.

– T'as regardé partout ? insiste son frère.

– Oui. Même dans le frigo !

Au même moment, j'aperçois le singe au pied de la grande roue, caché près d'une énorme manette.

– Et la clé que j'avais oubliée près de sa cage ? reprend le premier.

– Elle, au moins, je l'ai trouvée ! déclare fièrement l'autre.

– Ah oui ? Elle était où ?

– Dans le frigo...

Toute cette histoire de voleur et de clé laissée près de la cage du petit sacripant commence à prendre forme dans ma tête... Mais impossible de réfléchir plus longtemps, car à ce moment précis, Pépito bondit sur le levier et actionne la grande roue ! Sous l'effet de la secousse, les jumeaux tombent à la renverse et s'aspergent de jus.

– Faites-nous descendre ! crient-ils en s'élevant dans les airs.

Le singe s'élance alors à toute vitesse à travers champs. Pas question de le perdre de vue ! Je laisse les jumeaux à leur tour de manège et, à cheval sur mon vélo, je repars aussitôt. Debout sur mes pédales, je lance un grand cri de cow-boy. Hi ! Han ! Si au moins j'avais un lasso ! Mais mon rodéo s'arrête abruptement, car les tiges de blé bloquent complètement ma roue et, dans une superbe pirouette, je tombe par en avant !

Étendu dans le foin, j'entrouvre doucement les yeux. Mais qu'est-ce que je vois ? Le visage de Pépito en gros plan !

– Hé ! À quoi tu joues ?

Avec un sourire espiègle, le singe me fait signe de le suivre et s'enfonce dans le champ…

La grande parade

L'après-midi est presque terminé lorsque je reviens en direction du chapiteau. Debout à côté du vélo, je marche en fixant le soleil, aussi rouge qu'un nez de clown à l'horizon.

Jamais je n'aurais pu imaginer pareille journée ! Il faut absolument que je raconte ça à papa !

Je vais replacer la bicyclette et caresse au passage la petite biquette. Curieusement, j'ai le sentiment d'être chez moi. Cependant, il y a quelque chose qui cloche... C'est trop tranquille, ici.

Inquiet, je me dirige vers le coin des animaux. Personne. Seul l'éléphant me regarde avec ses grands yeux doux. Non sans une certaine appréhension, je presse le pas vers la roulotte du directeur. Là, tous les artistes sont rassemblés et font un véritable brouhaha.

– C'est lui, le coupable! clament les uns.

– C'est impossible, rétorquent les autres.

Le directeur, du haut des marches, tente de garder le contrôle.

– Calmez-vous, dit-il, ne sachant plus où donner de la tête. Il y a *soûrrement oune explicationne*!

Je me faufile pour voir ce qui se cache au centre de l'attroupement. Mais quelle n'est pas ma stupéfaction en découvrant... mon père!

– Depuis qu'il est ici, rien ne va plus! déclare Samson.

– Mais il a quand même réussi à réparer la cage de l'éléphant! intervient Maya en sa faveur.

– Ah, ça! C'est bien le premier mécanicien que je vois utiliser de la moutarde! ironise Mme Irma.

Quoi? Ils accusent mon père d'être le voleur? Ça ne se passera pas comme ça, foi de Téo! Je m'avance et déclare :

– Moi, je sais qui est le voleur!

Tous les regards se braquent vers moi.

– *Tou es soûr de ce que tou dis?* m'interroge le directeur en levant le coin du sourcil.

D'un coup, je deviens tout chaud. Je dois être rouge comme une tomate!

– Oui… euh… je sais où trouver tout ce que vous cherchez…

– C'est peut-être lui, le voleur ? suppose l'un des jumeaux en me pointant du doigt.

– On l'a vu se sauver, tantôt, près du manège, renchérit l'autre. C'est sûrement lui qui l'a mis en marche!

Je retrouve mon aplomb et clame haut et fort:

– Mon père et moi sommes innocents ! Prenez une échelle et suivez-moi !

Branle-bas de combat au Grand Cirque Rigoletto. Tout le monde se presse derrière moi pour découvrir la cachette du fameux voleur. Sous le regard étonné des corbeaux, je mène l'étrange parade à travers champs.

6

Arrivé à l'orée du bois, je m'arrête enfin et pointe un grand chêne.

– C'est ici !

– Samson ! tonne le directeur. Apporrte vite l'échelle !

D'une seule main, l'homme fort pose l'échelle contre l'arbre.

– Et maintenant, grrimpe ! lui ordonne M. Rigoletto.

Mais à ces mots, Samson devient blanc comme un drap.

– Vous savez bien que j'ai peur des hauteurs, chuchote-t-il discrètement au directeur.

M. Rigoletto lui jette un regard sombre.

– *Tou* vas monter, sinon…

Sous la menace de son supérieur, l'athlète escalade quelques échelons.

Mais arrivé à mi-hauteur, il revient à toute vitesse sur la terre ferme.

– J'ai entendu du bruit! dit le peureux en tremblotant.

Le directeur soupire, découragé.

– Je vais y aller, moi, déclare Maya. Les hauteurs, ça ne me fait pas peur! Et pas besoin d'échelle!

Avec la grâce d'un flamant rose, elle s'enfonce dans le feuillage. Quelques minutes plus tard, elle réapparaît avec une boîte entre les mains.

– Ma boîte à *lounch*! s'écrie M. Rigoletto, au comble du bonheur.

Le gros gourmand s'empresse de récupérer sa boîte, mais à la surprise générale, celle-ci émet un drôle de son.

– Ma-man, dit une voix étouffée.

– *Mamma mia*! lance M. Rigoletto, au bord de l'évanouissement.

Sous le coup de l'émotion, le directeur échappe la boîte, qui tombe sur le sol et s'ouvre d'un coup sec. Sous les regards ébahis apparaît alors un minuscule bébé.

– Ma vieille poupée! s'exclame Maya en reconnaissant son jouet d'enfance.

– Ma-man, répète l'automate, bien emmitouflé dans la serviette du directeur.

Juste à côté, on aperçoit un pot de moutarde rempli de lait de chèvre ainsi que le tournevis de mon père planté dans une pomme. On dirait un hochet! Au même moment, Pépito surgit d'entre les branches et bondit sur le haut-de-forme du directeur.

– Mais qu'est-ce qui se passe ? s'écrie M. Rigoletto, le chapeau enfoncé jusqu'au nez. Je ne comprrends *plous* rrien, moi !

Je pince les lèvres pour ne pas rire et tente une explication.

– Je crois que toute cette histoire a commencé lorsque quelqu'un a oublié la clé près de la cage de Pépito…

J'explique alors le fil des événe-ments...

Tout le monde regarde Pépito, qui berce affectueusement la poupée. Je poursuis sa défense :

– Il semble croire que c'est un vrai bébé ! Je pense que c'est pour en prendre soin qu'il a volé... euh... emprunté tous vos objets !

Tout fier de lui, le singe montre les dents.

– Sacrré Pépito, dit le directeur en replaçant son chapeau. Toujourrs mêlé aux pirres histoirres...

– C'est bien pour ça que les jeunes l'adorent ! lance joyeusement Maya.

– Bien joué, Téo ! s'exclame papa en m'ébouriffant les cheveux. Tu as vraiment du flair !

M. Rigoletto se tourne vers mon père.

– Rroberrt, je *souis* désolé de vous avoirr *injoustement* soupçonné. Grrâce à votrre fils, vous êtes maintenant librre de parrtirr. À moins que... vous ne décidiez malgrré tout de rrester avec nous?

Mon père me regarde, rayonnant.

– Qu'en dis-tu?

Pour voir mon père aussi heureux qu'en ce moment, j'accepterais n'importe quoi! Et je dois avouer que, moi aussi, il y a longtemps que je ne me suis autant amusé!

– Mécanicien au Grand Cirque Rigoletto? Je crois que c'est l'emploi parfait pour toi!

– Alorrs, vous êtes engagé! s'écrie le directeur, au bord des larmes.

– Cependant, j'ai une condition...

Tout le monde se tourne vers moi. Pendant un bref instant, je me demande dans quelle folie je suis en train de m'embarquer... Les mains moites comme de vieux mouchoirs, je prends une grande respiration et lance ma requête :

– J'aimerais que Pépito ne soit plus jamais en cage. À partir d'aujourd'hui, c'est moi qui m'en occupe !

– Hourra ! s'exclament tous les artistes en chœur.

– Hou ! Hou ! Hou ! fait Pépito, les deux bras dans les airs.

– Bouhouhouh ! éclate le directeur.

Pour terminer la journée en beauté, M. Rigoletto nous a gentiment invités à souper. Après tout, c'est la *traditionne*, comme il dit. Dans une véritable ambiance de fête, tous les gens du cirque sont rassemblés pour nous souhaiter la bienvenue. C'est comme une nouvelle famille !

Sous le ciel étoilé, les musiciens mènent le bal. Le directeur les accompagne en chantant à gorge déployée. Mike le cascadeur raconte ses exploits pendant que Samson l'homme fort coupe du bois. Maya, assise sur le toit d'une roulotte, joue de l'accordéon en regardant mon père qui parle dans son téléphone cellulaire.

– Oui, maman. Je suis toujours au cirque. Non, maman, les lions ne m'ont pas mangé. Non, Téo non plus... Nous allons vivre ici, maman. Oui ! Je suis engagé ! C'est ça... Je te rappelle. Au revoir, maman !

Mon père raccroche et jette un bref regard à Maya, qui lui sourit. Ils vont plutôt bien ensemble, ces deux-là!

Pour se faire pardonner d'avoir perdu la clé, ce sont les jumeaux qui ont préparé le souper. Au menu: des spaghettis italiens. Ça tombe bien, c'est mon plat préféré! Même Pépito a eu droit à son bol de sauce tomate! Assis près du feu avec lui, je plonge ma fourchette avec entrain dans la montagne de pâtes qui orne mon assiette.

– Bon appétit! que je lance à mon nouvel ami.

Je m'apprête à engouffrer ma première bouchée quand, tout à coup, Mme Irma s'avance vers moi. La bouche grande ouverte, je dévisage la spaghetti-nologue qui se met à renifler mon repas.

– Si je me fie à ces spaghettis... commence-t-elle d'un air mystérieux.

Oh non! J'espère que son dentier n'est pas caché dans mes pâtes! La voyante fait claquer trois fois sa langue et roule lentement les yeux. Je retiens mon souffle et me prépare au pire. Mais la voyante sourit finalement en dévoilant ses dents.

– Tu as un bel avenir en notre compagnie!

Ouf! Quel soulagement! Je lève la main en direction de Pépito, qui frappe dedans vigoureusement. S'il y a une chose dont je peux être sûr, c'est qu'au Grand Cirque Rigoletto, les aventures ne manqueront pas!

Allo ! C'est moi, Pépito !

Avec mon nouvel ami Téo, je t'invite
à suivre nos aventures au Grand
Cirque Rigoletto.

Qui sait, peut-être deviendrons-nous
des vedettes ? Nous formons déjà un
duo d'enfer !

À très bientôt !

Pépito

MOT DE L'AUTEURE
MARIE-CHRISTINE MORIN

Cher lecteur, aimerais-tu vivre dans un cirque? Moi, oui. J'ai toujours rêvé d'habiter une petite roulotte comme au temps des gitans. Vivre en nomade et faire des spectacles ambulants. Eh bien, c'est maintenant possible! Grâce au Grand Cirque Rigoletto, je t'invite à partir à l'aventure avec Téo, Pépito et toute une joyeuse bande de saltimbanques! Seras-tu assez fou pour venir avec nous?

MOT DE L'ILLUSTRATEUR
JOSÉ MORIN

Dessiner un grand cirque et ses habitants, quel bonheur pour un illustrateur! Le chapiteau et ses animaux, les clowns et les acrobates, l'homme-canon et la femme à barbe, l'homme fort et la diseuse de bonne aventure... Quel univers fantastique pour nourrir mon imagination et faire travailler mes crayons!

Auteure : Marie-Christine Morin
Illustrateur : José Morin

1. Un voleur au poil